gusto

La collection design&designer est éditée par
PYRAMYD NTCV
15, rue de Turbigo
75002 Paris France

Tél. : 33 (0)1 40 26 00 99
Fax : 33 (0)1 40 26 00 79
www.pyramyd-editions.com

Direction éditoriale : Michel Chanaud, Céline Remechido
Suivi éditorial : Émilie Lamy
Chef de studio : Olivier Soury
Traduction : Paul Jones
Correction : Paula Gouveia-Pinheiro
Conception graphique du livre : Agnès Dahan
Conception graphique de la couverture : PYRAMYD NTCV
Conception graphique de la collection : Super Cinq

ISBN : 978-2-35017-124-1
ISSN : 1636-8150
Dépôt légal : mai 2008

Imprimé en Italie par Eurografica

gusto

préfacé par marie bruneau et bertrand genier, presse papier

Elle, c'est Fanny (Garcia). Lui, c'est Tristan, euh pardon, Jack Usine – il tient à son pseudo. Ensemble, ils ont créé GUsto (pour Garcia Usine studio). Tout juste diplômés des beaux-arts de Bordeaux, ils ne voulaient pas – disent-ils – « être salariés dans une agence », mais préféraient « développer les projets que l'école [leur] avait permis de mettre en route ». C'était en septembre 2005, il y a plus de deux ans, une éternité…

SOUPIRS…

Nous avons rencontré les GUsto à peu près à cette époque : ils venaient d'éditer une affiche sur ces *Soupirs à la bordelaise (voir pages 12-17)* très emblématiques de leur travail… « Nous avons commencé cette collection après la découverte d'un soupirail au 2 de la rue des Allamandiers, expliquent-ils. À la suite de cette découverte, nous nous sommes mis à scruter chaque porte de cave, dénichant à chaque fois de nouvelles formes ; nous nous sommes alors lancés dans une collecte exhaustive. » Pendant près de deux ans, le duo a ainsi arpenté les rues de Bordeaux pour dresser le minutieux inventaire photographique d'un patrimoine décoratif tout à fait méconnu : les mille et une manières (1 489, pour

She's Fanny (Garcia). He's Tristan – whoops, we mean Jack Usine; he's keen on his pseudonym. Together they founded GUsto (as in Garcia-Usine studio). Fresh out of Bordeaux fine arts school, they didn't, they say, want to be "employees in an agency", preferring to "develop the projects we'd been able to start off at school". That was in September 2005 – more than two years ago, an eternity…

SIGHS…

It was around this time that we met the GUsto duo: they had just published a poster on their *Soupirs à la bordelaise* ("Bordeaux sighs") project *(see pages 12-17)* that recorded the openwork motifs in the city's *soupiraux*, or cellar screens, and which are highly emblematic of their work… "We started this collection after coming across a screen at 2 Rue des Allamandiers," they explain. "After that, we began examining every single cellar screen and discovered new forms every time – which is when we began an exhaustive collection." For nearly two years, the duo walked the streets of Bordeaux, drawing up a meticulous photographic inventory of a

être précis) de pratiquer des trous dans les portes[1] de cave des maisons de la ville. Et cette joyeuse récolte s'est révélée d'une surprenante richesse décorative : des croix, des étoiles, des porte-bonheur, un fer à cheval, une ancre… Numérisés et redessinés, ces motifs serviront à l'élaboration d'une police de caractères ornementale, très opportunément nommée « Soupirs » (et disponible chez MyFonts).

Si cette histoire de *Soupirs à la bordelaise* nous semble une bonne illustration de la démarche créative de GUsto, c'est qu'elle se fonde sur ce goût pour le documentaire et la collection ; un goût presque maniaque, et équitablement partagé, puisque chacun s'y adonne avec entrain.

Jack Usine penche pour le vernaculaire dans sa variante typographique : il se plaît à photographier, collectionner et classer toutes sortes d'inscriptions – modestes ou monumentales. D'où vient cette quête d'un « Graal typographique » ? « C'est la pratique du graffiti, dans la rue, qui m'a amené à la peinture, et particulièrement à la peinture "avec des lettres", comme dans le pop art… et finalement à la typographie. Quand je vois certaines inscriptions peintes à la main, je me dis qu'il y a trop de typos qui n'ont pas le destin qu'elles méritent… J'ai commencé ces collections pour mon plaisir, histoire de sauvegarder des choses qui risquent de disparaître ; c'est aussi pour constituer une base de données

forgotten decorative heritage: the thousand and one ways (1,489 to be precise) of making holes in the cellar screens of townhouses.[1] And this joyous harvest revealed a surprising wealth of decoration: crosses, stars, lucky charms, a horseshoe, a ship's anchor… Digitised and redrawn, these motifs then fed into the design of a font of ornamental characters, opportunely named Soupirs (and available from MyFonts).

The story of *Soupirs à la bordelaise* nicely illustrates GUsto's creative approach, we feel, because it stemmed from a taste for documentary material and collecting; a near-maniacal taste, and equally shared, because they both got their teeth into it…

Jack Usine has a penchant for the vernacular in its typographic variant: he enjoys photographing, collecting and classifying all sorts of inscriptions – from modest to monumental. What drives his quest for a typographic Grail? "Making graffiti in the street was what got me into painting, and especially painting 'with letters', like in Pop Art… and then, finally, into typography. When I see some hand-painted inscriptions, I think to myself that too many faces don't get the destiny they deserve… I started these collections for my own pleasure, to

personnelle à laquelle me référer quand je veux dessiner une nouvelle typo… » L'originalité ? C'est que cette banque de données personnelle est accessible à tous sur *www.vernacular.fr.*

Ce goût de l'inventaire, Fanny Garcia le met en œuvre à propos de son village natal – Sainte-Foy-la-Grande : « Je suis un peu "photo-compulsive", je collectionne les photos du pays; j'ai envie de le montrer tel qu'il est vraiment et pas seulement dans ses atours touristiques. » Avec Le Vilain – sorte de label œuvrant pour un graphisme de proximité et ouvert à toutes les formes de création, créé avec son frère Kolona –, elle tient ainsi une sorte de carnet de bord, qui lui donne l'occasion d'explorer méthodiquement une foule de sujets particuliers, comme cette série de maisons illuminées pour Noël, récoltée cet hiver. *www.levilain.org.*

BORDEL!

Seconde composante de la démarche de GUsto : leur capacité à fonctionner en réseau et en collectif… Et seconde rencontre! Il est tout juste midi, ce mardi 4 avril 2006. La foule énorme des opposants au CPE (contrat de première embauche) s'écoule paisiblement dans les rues de Bordeaux. Nous

safeguard things at risk of being destroyed. It's also to compile a personal database that I can refer to when I'm drawing a new face…" What's original is that the database is accessible to all at *www.vernacular.fr.*

Fanny Garcia puts this taste for inventories into practice with her home village, Sainte-Foy-la-Grande: "I'm a bit 'photo-compulsive'… I collect photos of the area, I want to show what it's really like and not just in its touristy get-up." With Le Vilain – a kind of label that promotes locally-rooted graphic design and is open to all creative forms, founded with her brother Kolona – she keeps a kind of travelogue that gives her the opportunity to methodically explore a host of offbeat subjects, such as a series of houses illuminated for Christmas, harvested last winter. *www.levilain.org.*

SHAMBLES

The second facet of GUsto's graphic approach is their ability to operate in a network and a collective… Cue a second encounter, around noon on Tuesday 4 April 2006. The huge crowd protesting against the govern-

cherchons quelques figures de connaissance pour joindre nos pas aux leurs… Défilé de visages jeunes et joyeux ; leur calme, leur sérieux, leur dignité nous frappe. « Eh ! les presse papier, venez avec nous ! » La jeune fille qui nous interpelle porte fièrement sa part de banderole – si l'on peut employer ce mot pour désigner l'objet en question : l'une des six lettres rouges composant, dans une typographie rigoureuse, le mot « BORDEL ». En rentrant à l'atelier, sur le site de *Libération*, l'image est là, plein cadre… Chapeau ! Nous finirons, de lien en lien, de click en click, par débusquer le site *www.sainte-machine.com*, qui revendique en images la paternité de l'œuvre… Nous comprenons alors que GUsto, Usine, Garcia, Sainte-Machine – et autres TT crew –, sont quelques-unes des appellations exotiques que ce duo œuvrant dans différents collectifs prend plaisir à multiplier… Nous apprenons accessoirement que ce fameux « BORDEL » avait vécu une première vie en tant qu'installation « sauvage » mise en œuvre, à la gloire de la ville, au sommet d'un tas de gravats en déshérence sur les quais de Bordeaux – clin d'œil ironique à ces lettres formant le nom de Hollywood, installées sur le mont Lee, à Los Angeles *(voir page 97)*.

« Nous avions un peu de mal à nous situer aux beaux-arts, expliquent les GUsto… Nous avons découvert en même temps le graphisme, les ordinateurs et Internet… et nous en sommes venus

ment's "first employment contract" was flowing peacefully through the streets of Bordeaux. We looked for some acquaintances to walk with amid the procession of young, cheerful faces: we were struck by their calmness, seriousness and dignity. "Hey, presse papier people, come and join us!" The young woman calling us was proudly carrying part of a banner – if that's the right word to describe the object: one of six red letters which, in a rigorous typography, composed the word "BORDEL" (mess/shambles). Back at the studio we looked on the *Libération* newspaper site, and there was the word, pictured full-frame… Nice work! Clicking away, from link to link, we finally uncovered *www.sainte-machine.com*, where authorship of the work was claimed in images… We then realised that GUsto, Usine, Garcia and Sainte-Machine – plus TT crew *et al.* – are some of the exotic appellations that the duo, which works in various collectives, enjoy hatching… Incidentally, we learned that the famous "BORDEL" had previously existed as an illicit installation to the city's glory, on top of an abandoned pile of rubble on a Bordeaux wharf – an ironic nod to the famous white "Hollywood" on Mount Lee, Los Angeles *(see page 97)*.

à faire chacun notre site ! Ce qui n'était qu'un exercice nous a ouverts au fonctionnement en réseau. Nous avons ainsi participé à la création du collectif LAplakett en 2001, avec pour intention de structurer notre production en dehors de l'école. En 2003, quand certains membres du collectif ont quitté Bordeaux, nous avons mis en ligne le site *www.ttcrew.org* pour rester en contact. Une sorte de blog autour du graff et du graphisme. Et dans la foulée, avec John Bobaxx et Moam, nous avons également créé Sainte-Machine pour faire des expos et des interventions dans la ville… »

C'est donc Sainte-Machine qui assumera la carte blanche – un peu folle – proposée par le directeur du TnBA (Théâtre national de Bordeaux en Aquitaine), Dominique Pitoiset, de décorer, en dix jours, les espaces d'accueil du théâtre. Ainsi naîtra « Quiproquo », une improvisation graphique collective *(voir pages 108-117)* : « Nous sommes arrivés sans projet défini à l'avance, juste avec des pots de peinture et un rétroprojecteur pour tester nos idées… »

Dans le même esprit collaboratif, et pour répondre à l'invitation faite à GUsto par le CAPC (Centre d'arts plastiques contemporains) de Bordeaux, Fanny Garcia et Jack Usine décideront de recomposer le collectif LAplakett, le temps de « Logorrhée Publique », une exposition intervention dans les

"We struggled a bit to find our niche at art school,", explain the duo. "We discovered graphics, computers and the internet all at the same time… and we actually did our own sites! It was just an exercise, but it opened us up to networking. We helped set up the LAplakett collective in 2001, to give a structure to our non-school output. In 2003, when some of the collective's members left Bordeaux, we created *www.ttcrew.org* for us to stay in touch – it's a sort of blog based around graffing and graphic design. Around the same time, with John Bobaxx and Moam, we also set up Sainte-Machine to stage exhibitions and interventions in the city…" Thus did Sainte-Machine accept the slightly crazy carte-blanche challenge from the director of Théâtre national de Bordeaux en Aquitaine, Dominique Pitoiset, to decorate the venue's reception areas in 10 days. The result was "Quiproquo", a graphic group-improvisation *(see pages 108-117)*: "We turned up without any pre-arranged plans, just cans of paint and an overhead projector to try out our ideas…"

In the same collaborative spirit, responding to an invitation by Bordeaux's centre of contemporary visual arts (CAPC), Garcia and Usine decided to reform the LAplakett collective for the duration of "Logorrhée Publique",

espaces du musée *(voir pages 50-57)*, histoire de dresser une sorte d'état des lieux de leurs pratiques graphiques respectives.

… ISME

Comment les GUsto en sont-ils arrivés au graphisme de commande ? « Nous avions envie de travailler ensemble ! Nous avions commencé à faire des choses aux beaux-arts : des flyers, un catalogue d'expo-sition, en essayant déjà de nous placer dans une situation professionnelle. »

Deux ans à peine après leur sortie de l'école, les GUsto émergent déjà sur la jeune scène graphique française : une sélection dans l'exposition « Impressions françaises » au Festival international de l'affiche et des arts graphiques de Chaumont, plusieurs publications de leurs travaux dans la revue *étapes:* – et maintenant un livre dans la collection « design&designer »…

Tout n'est pas rose pour autant : Fanny Garcia et Jack Usine n'ont pas emprunté une voie facile en choisissant de travailler en indépendants dès leur sortie de l'école. La commande en graphisme se fait rare ; souvent, on cherche plutôt des exécutants que des auteurs… « Certains projets sont super

an exhibition-intervention around the museum *(see pages 50-57)*, in order to take stock of their respective graphic practices.

… ISM

How did GUsto get into commissioned graphic design work? "We wanted to work together! We'd already begun doing stuff at art school – flyers, an exhibition catalogue… – to try and put ourselves in professional mode." Just over two years after leaving the school, GUsto are already emerging onto France's young graphic-designer scene: they have had a piece selected for the "Impressions françaises" show at the International Poster and Graphic Arts Festival of Chaumont, had their work published several times in *étapes:* magazine, and now have this monograph in the "design&designer" series… Yet all is not rosy: in going freelance straight after graduating, Garcia and Jack Usine have not taken the soft option. Graphic-design commissions are increasingly scarce; often, clients are looking for artworkers, not authors… "Some projects are incredibly

intéressants, mais quand c'est dur, c'est vraiment vraiment très dur! », commente Fanny. « Je ne suis pas sûr d'avoir vraiment envie d'être graphiste, commente Jack Usine. À terme, je préférerais plutôt avoir une publication, travailler pour moi, dessiner des typos… »

Déjà désabusés? Sûrement pas, la passion est intacte, vive, polymorphe. Les idées et les projets fourmillent. Attention talent! Puissent les décideurs de notre beau pays donner à GUsto l'opportunité de poursuivre son chemin…

Marie Bruneau et Bertrand Genier, presse papier
Travaillent ensemble autour
de la chose graphique
www.pressepapier.fr

1. Soupirail, aux : ouverture pratiquée dans le soubassement d'un rez-de-chaussée, pour donner de l'air, du jour aux caves et pièces en sous-sol.

interesting, but when the going's tough, it's really really tough!" says Fanny. "I'm not sure I really want to be a graphic designer," says Jack. "Ultimately, I'd rather have a publication, work for myself, design typefaces…"

Are they already disillusioned? Surely not: their passion is intact, vital, polymorphous; they teem with ideas and projects. Be warned: these two have talent! May our fine country's decision-makers give GUsto the chance to continue on their way…

Marie Bruneau and Bertrand Genier, presse papier
Working together around graphics
www.pressepapier.fr

1. *Soupirail / soupiraux*: an opening in the bottom section of a ground-floor exterior wall, for ventilating and lighting cellars and basement rooms.

SOUPIRS
à la bordelaise

un ouvrage de
Fanny Garcia & Jack Usine

SOUPIRS
à la bordelaise
un ouvrage de
Fanny Garcia & Jack Usine

mille quatre cent quatre-vingt-neuf motifs

..... SMELTERY .....

proudly presents

SOUPIRS

a FONT FAMILY of **310** STENCIL ORNAMENTS

designed by FANNY GARCIA *and* JACK USINE

PAGES 12 À 17 :
SOUPIRS À LA BORDELAISE
PROJET DE RÉCOLTE EXHAUSTIVE
DES SOUPIRAUX (MOTIFS ORNANT
LES PORTES DE CAVES) DE BORDEAUX.
1 489 ORNEMENTS ONT ÉTÉ DÉCOUVERTS,
310 D'ENTRE EUX FURENT SÉLECTIONNÉS
POUR CONSTITUER UNE FAMILLE
DE FONTES ORNEMENTALES,
SOUPIRS (CI-CONTRE)
2005-2006

PAGES 12 TO 17 :
SOUPIRS À LA BORDELAISE
[BORDEAUX SIGHS]
AN EXHAUSTIVE COLLECTION OF THE
MOTIFS DECORATING THE SOUPIRAUX
(STREET-LEVEL CELLAR SCREENS) OF
BUILDINGS IN THE CITY OF BORDEAUX.
SOME 1,489 ORNAMENTS WERE LOCATED;
310 WERE SELECTED TO FORM AN
ORNAMENTAL FONT-FAMILY CALLED
SOUPIRS (THIS PAGE)
2005-2006

PAGES PRÉCÉDENTES :
SOUPIRS À LA BORDELAISE
AFFICHE
40 x 60 CM
2005

PREVIOUS PAGES:
SOUPIRS À LA BORDELAISE
[BORDEAUX SIGHS]
POSTER
40 x 60 CM
2005

N°36 /// Décembre 2006 /// GUsto Issue

www.happen.fr

happe:n

N°36
décembre 2006

happe:n

est une publication de l'assa
Aux Frais de la Princesse
/ 3, place de la victoire à Bordeaux

Directeur de la publication
Pierre Mesnard
/ 06.64.29.06.52

Rédactrice en chef
Cathy Morault
/ 06.10.56.63.99

impression : **Speed Impression**
dépôt légal à paraution : 3ème trimestre 2006

magazinehappen@gmail.com

www.happen.fr

sommaire

05.56.79.73.99
studiogusto.fr

couv' & direction artistique de ce numéro : *garcia usine studio* • www.gusto.fr
typos utilisées : «SOUPIRS| **Sans Merci**| ALdimat| **ALusine** : www.smelltecy.net

---

CHRONIQUE DE L'ACTU ELECTRONIQUE
par
ROBERT KALOPHTALMOS

WEBRADIO
be.radio
www.beradio.net

Arnaud Cachera baigne depuis tout jeune dans la musique. Il est d'abord influencé par les Cure, Anne Clark, Depeche Mode, avant de tomber sous le charme du fabuleux Homework des Daft Punk (pourquoi ont-ils arrêté de produire d'aussi bons albums ?) ou encore du Pansoul de Motorbass. C'est plus tard, en 2002, qu'il sort un premier album : Supa Feeling, dont Fuckin Track est issu.

Depuis il a créé son propre label (Freshin Records), remixé Agoria ou Tim Taylor, et sorti des maxis sur Missile et Hypnotic.

Pour son nouvel album, 12 titres transportent l'auditeur de l'électro la plus calme ("I Try") ou encore la rêverie "Calm", vers les sons plus froids de "Luv doesn't love me" qui devrait bien marcher en club. Globalement, le tempo reste assez lent et l'ambiance relax, ce qui ne sera pas pour déplaire aux oreilles de ceux qui aiment écouter de la

musique en travaillant ou en lisant. Par contre, ceux qui cherchent ici un album dancefloor risquent d'être frustrés, car peu de morceaux sont adaptés aux clubs, ou du moins dans les versions proposées. "Electronic supafreak" va pourtant jusqu'à reprendre une rythmique très proche du Pleasure From The Bass de Tiga.

Quoi qu'il en soit, One imaginary Boy est un bon CD, avec un coup de cœur pour Mystery, mélange de Massive Attack et de Vitalic.

TRACKLISTING
01. I try
02. To the very best...
Dragg Anthe'
03. On the road
04. Calm
05. Everybody loves to
06. Hiding sun
07. Mystery
08. Electronic supafreak
feat Jonathon Cast
09. Business
10. A night on the beach
11. Luv doesn't love me
12. Vocoder ballad feat
my vocoder

→ EN DIRECT AVEC Martial Jesus
DEPUIS LA PLANÈTE Total Heaven

Pour sa soirée d'avant Noël, le 22 décembre très exactement, Total Heaven a décidé de convier sur le dancefloor, deux musiques « priori antagonistes : le « math rock » et ses structures alambiquées, ses constructions audacieuses et aventureuses, et le punk de base, mal degrossi, bancal et spontané.

Avec pour unique but, l'obtention du sticker « bon pour la danse ! », se succèderont dans le désordre sur la scene de l'Hérétic Pussy Patzol, 3 très jeunes furies descendues de la capitale, ayant retenu les cahotiques leçons des Shaggs et des Frumpies, puis Cheveu, parisiens hisrutes, adeptes d'une No Wave aussi heavy que lofi.

Au niveau des « gars qui tatent », les toulousains Semi Playback mesureront leur Math Pop Emo énervée, aux sultans du genre : les locaux Sin Cabeza !!

Et entre les deux, l'indie Folk Flyin' Family : Uncle Jelly Fish, des saintas, benjamins de la soirée, nous ferons, on l'espère, eux aussi danser, au sons chaloupés de leurs comptines aériennes.

SINCABEZA

---

la chronique de chatte

LA PEUR ET LA CHAIR Giorgio Todde
(Folio Policier)

Quand on évoque la Sardaigne, la première chose à laquelle on pense est : Chaleur...

Ensuite on se laisse gagner par la torpeur, bercé par le chant des cigales et les exclamations teintées de bonne humeur des commères locales.

Lourde erreur ! A Cagliari, ville écrasée par le soleil, prise en tenailles entre la mer qu'elle rejette et le texte qui l'ignore, l'atmosphère est délétère, menaçante ; ses habitants granitiques (en même temps que sans consistance) semblent tout droit sortis de « Ces gens-là » de Brel : Nous sommes à la fin du XIXe siècle dans une petite ville où l'étroitesse d'esprit rivalise avec la peur de l'autre. Et quoi de mieux pour nourrir la « sainte ủnite » que des morts violentes, une jeune légiste en quête d'amortalité des corps, une douairière économe même de son souffle, des pratiques judiciaires d'un autre âge car relevant de l'inquisition ; et encore : un trafiquant d'opium, une cantatrice vieillissante, des troglodytes ayant élu domicile dans le cimetière et plus communément dits « ceux des tombes » !

Tous ces impacfaits vont et viennent dans un bien étrange ballet où la peur et la chair se nourrissent l'une l'autre...

Giorgio Todde
La peur et la chair

HAPPE.N
MAGAZINE CULTUREL GRATUIT
DIRECTION ARTISTIQUE DU N° 36
BORDEAUX, 2006

HAPPE.N
FREE CULTURAL MAGAZINE
ART DIRECTION OF ISSUE 36
BORDEAUX, 2006

designergüšap / 064 / GUSTO

19

une *expo photo* de
Marion Rebier
//////// 1ᵉ PARTIE ////////

LA CENTRALE
15, rue Bouquière / Bordeaux
~~~~~~~~~
DU 15 AVRIL
AU 15 MAI 2007
~~~~~~~~~
vernissage
samedi **14 AVRIL**
→ à partir de **19H**
+ + + + + + + + + + +
+ **C O N C E R T**
de **Milla Rayen**
chansons d'Amérique Latine
+ + + + + + + + + + +

VOYAGE
MEXICAIN

une expo photo de
Marion Rebier
////// **1ᵉ PARTIE** //////

LA CENTRALE
15, rue Bouquière / Bordeaux

DU 15 AVRIL
AU 15 MAI 2007
~~~~~~~~~
vernissage
samedi **14 AVRIL**
→ à partir de **19H**
+ + + + + + + + + + + +
+ CONCERT
de **Milla Rayen**
chansons d'Amérique Latine
+ + + + + + + + + + + +

voy
MEX

AFFICHE ET FLYER POUR L'EXPOSITION
« VOYAGE MEXICAIN » PRÉSENTANT
LES PHOTOGRAPHIES DE MARION RÉBIER
20 x 30 CM / 10 x 15 CM
BORDEAUX, 2007

POSTER AND FLYER FOR MARION RÉBIER'S
PHOTO EXHIBITION "VOYAGE MEXICAIN"
[MEXICAN JOURNEY]
20 x 30 CM / 10 x 15 CM
2007

designerau8isap / 064 / GUSTO

métramorphose

Écoles des Beaux-Arts de Bordeaux
Atelier Cairns-Olhman
avril - mai 2005

Que se passe-t-il en ville ?

Mathieu Bernard de San Cristobal

Damien Erneult

CATALOGUE DE L'EXPOSITION
« MÉTRAMORPHOSE »
16 x 15 CM, 96 PAGES
2005

CATALOGUE OF THE EXHIBITION
"MÉTRAMORPHOSE"
16 x 15 CM, 96 PAGES
2005

PAGES 24 À 35 :
LE VILAIN
RÉSEAU DE VILAINS ŒUVRANT POUR
UN GRAPHISME DE PROXIMITÉ AU PAYS
FOYEN. C'EST À LA FOIS UN LABEL
ET UN ESPACE OUVERT À TOUTES
LES FORMES DE CRÉATIONS
ET DE RÉACTIONS, QUI ASSUME
ET REVENDIQUE SON IMPLANTATION
RURALE. AU MOYEN ÂGE, LE TERME
« VILAIN » DÉSIGNAIT LES PAYSANS LIBRES.
AVEC KOLONA, AIGREDOUX, FJORDBOKNA,
CHLOÉ CAPPELLI, FLUO, MIITO…
WWW.LEVILAIN.ORG

PAGES 24 TO 35 :
LE VILAIN
A NETWORK OF UNSUBSERVIENT NICE
GUYS WORKING TO PROMOTE GRAPHIC
DESIGN IN AND AROUND THE VILLAGE
OF SAINTE-FOY-LA-GRANDE. IT'S BOTH
A LABEL AND A SPACE OPEN TO ALL
CREATIVE FORMS AND REACTIONS,
WHICH PROUDLY EMBRACES AND ASSERTS
ITS RURAL LOCATION. IN THE MIDDLE AGES,
VILAINS WERE FRENCH VILLEINS (FREE PEASANTS).
WITH KOLONA, AIGREDOUX, FJORDBOKNA,
CHLOÉ CAPPELLI, FLUO, MIITO…
WWW.LEVILAIN.ORG

AFFICHE *LE VILAIN*
AVEC KOLONA
SÉRIGRAPHIE, 60 x 90 CM
2006

LE VILAIN POSTER
WITH KOLONA
SCREENPRINT, 60 x 90 CM
2006

NŒUD
MAGAZINE PDF TÉLÉCHARGEABLE
EN HAUT : *NŒUD #1 DÉCORATION*, 2006
EN BAS : *NŒUD #2 COOL*, 2007
21 x 29,7 CM

NŒUD
[KNOT]
DOWNLOADABLE PDF MAGAZINE
TOP: ISSUE 1 (ON DECORATION), 2006
BOTTOM: ISSUE 2 (ON COOLNESS), 2007
21 x 29,7 CM

TEE-SHIRTS LE VILAIN SÉRIGRAPHIÉS
MODÈLES RAGONDIN ET SILURE
AVEC KOLONA
MERCI À LUIS ET JEAN-PAUL
SAINTE-FOY-LA-GRANDE, 2006

LE VILAIN SCREENPRINTED TEE-SHIRTS
DESIGNS: RAGONDIN AND SILURE
WITH KOLONA
THANKS TO LUIS AND JEAN-PAUL
SAINTE-FOY-LA-GRANDE, 2006

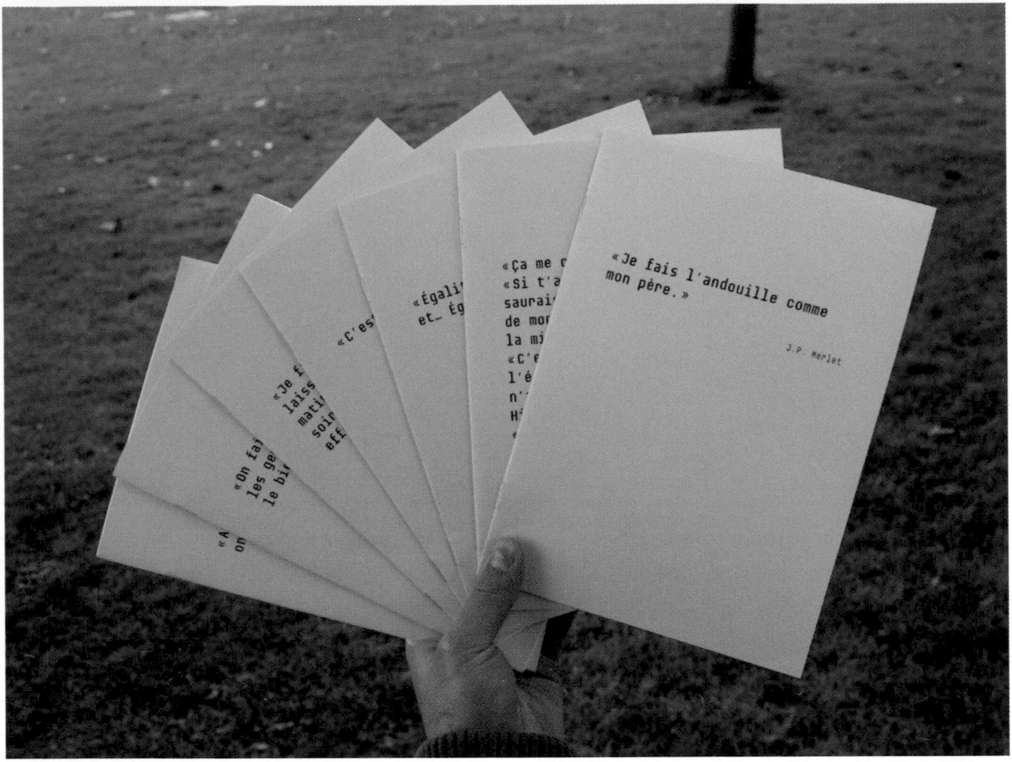
« Je fais l'andouille comme mon père. »
J.P. Merlet

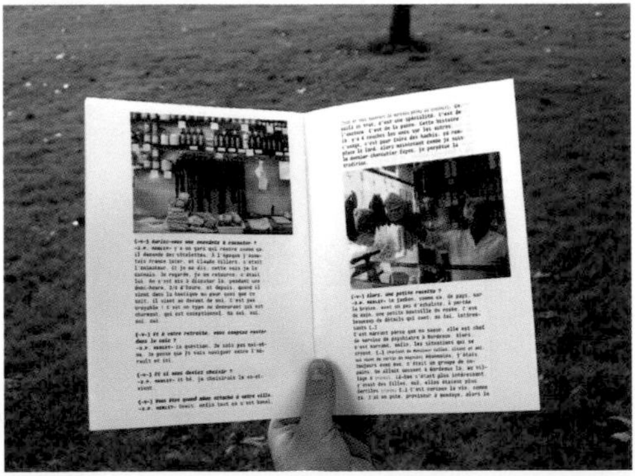

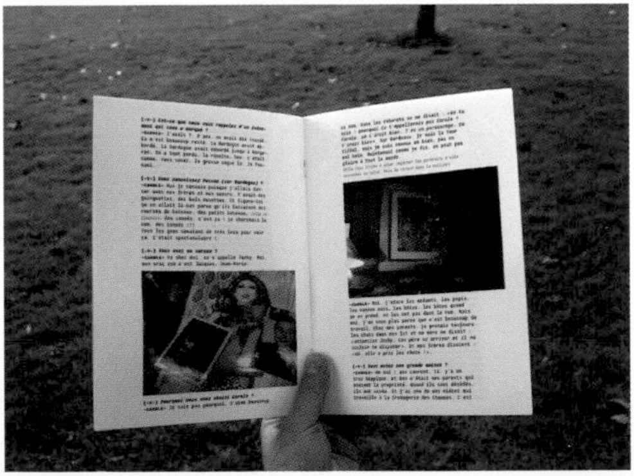

LEVILAIN.ORG

the Sainte-Foy-la-Grande,
france, cybersystem,
levilain.org

Suggestions, réactions, dons, informations ?
----------> **CONTACTEZ-NOUS ICI**
ou sur levilain@sainte-machine.com

Attention, il y a moult popup dans le site...

pour voir les animations,
vous devez avoir Flash player :
télécharger gratuitement Flash player

pour voir les vidéos,
vous devez avoir QuickTime player :
télécharger gratuitement QuickTime player

Et pour les pétitions, si vous n'arrivez pas à
valider votre participation, il se peut que ce soit
un problème de Fire Wall (alors à désactiver)
MERCI.

News

déc. 07 : marchés de Noël

01-08 déc. exposition Michel Estève

Nœud #2 - la cool attitude
magazine le Vilain téléchargeable

accueil   actualités   les gens   forum   le vilain   le pays   pétition   fotolog   numéro

INTERVIEWS DE PERSONNALITÉS
DU PAYS FOYEN
AVEC CHLOÉ CAPPELLI
LIVRETS PHOTOCOPIES
AVEC TIRAGES PHOTO
15 x 21 CM
DEPUIS 2005

INTERVIEWS WITH PERSONALITIES
IN AND AROUND SAINTE-FOY-LA-GRANDE
WITH CHLOÉ CAPPELLI
PHOTOCOPIED BOOKLETS
INCLUDING PHOTO PRINTS
15 x 21 CM
SINCE 2005

INDEX DU SITE LEVILAIN.ORG
DEPUIS 2004

LEVILAIN.ORG WEBSITE INDEX
SINCE 2004

FLYER DE L'EXPOSITION « LE VILAIN »
AVEC KOLONA
10 x 15 CM
SAINTE-FOY-LA-GRANDE, 2006

FLYER OF "LE VILAIN" EXHIBITION
WITH KOLONA
10 x 15 CM
SAINTE-FOY-LA-GRANDE, 2006

CARTE POSTALE ÉDITÉE À L'OCCASION
DE L'EXPOSITION « LE VILAIN »
MERCI À DÉDÉ
15 × 10 CM
2006

POSTCARD
PUBLISHED FOR "LE VILAIN" EXHIBITION
THANKS DÉDÉ
15 × 10 CM
2006

CHEVREUIL [ˈʃəʊ ˈriːˀ]
CROSS-STITCH PICTURE
30 × 40 CM
2006

CHEVREUIL
TABLEAU AU POINT DE CROIX
30 × 40 CM
2006

Jules

LES VOYAGES AU CENTRE-VILLE DE

Vernacular

JULES VERNACULAR EST UN COLLECTIONNEUR DE LETTRES ŒUVRIÈRES ET AUTRES INCONGRUITÉS TYPOGRAPHIQUES URBAINES ET RURALES. IL LES PHOTOGRAPHIE, LES CLASSE ET LES PARTAGE VIA *WWW.VERNACULAR.FR* PAGE 37 : VUES DU SITE

JULES VERNACULAR IS A COLLECTOR OF *LETTRES ŒUVRIÈRES* (A NEOLOGISM TO DESCRIBE COMMERCIAL LETTERING OF INTEREST AS ARTWORKS) AND OTHER TYPOGRAPHIC INCONGRUITIES, BOTH URBAN AND RURAL. HE PHOTOGRAPHS AND CLASSIFIES THEM, THEN SHARES THEM WITH THE WORLD ON HIS BLOG *WWW.VERNACULAR.FR* PAGE 37: WEBSITE CAPTURES

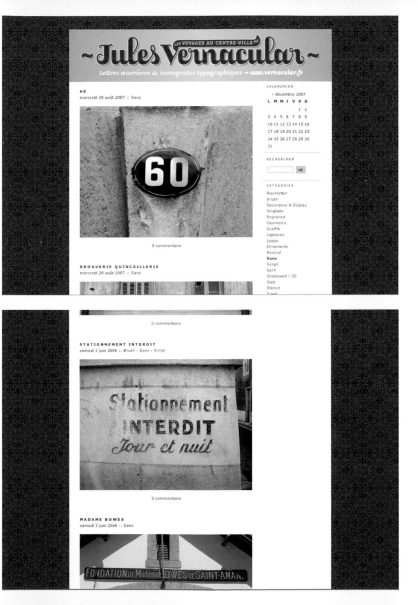

SMeltery

USINE·DE·FONTES

LABOR AT VAR

DEPUIS
20+02

SMELTERY EST UNE USINE DE FONTES,
QUI PRÉSENTE ET DISTRIBUE (LE PLUS
SOUVENT GRATUITEMENT) DES EXPÉRIENCES
TYPOGRAPHIQUES ORIGINALES
WWW.SMELTERY.NET
DEPUIS 2002

SMELTERY IS A TYPE FOUNDRY
THAT PRESENTS AND DISTRIBUTES
ORIGINAL TYPOGRAPHIC EXPERIENCES,
OFTEN FREE OF CHARGE
WWW.SMELTERY.NET
SINCE 2002

www.smeltery.net

« LIGATURE PANANATOMIQUE »
LIGATURE TYPOGRAPHIQUE PRÉSENTANT,
À ELLE SEULE, TOUTES LES CARACTÉRISTIQUES
ANATOMIQUES DE L'ALPHABET LATIN
2007

"PANANATOMIC LIGATURE"
TYPOGRAPHIC LIGATURE THAT PRESENTS
ALL THE ANATOMICAL FEATURES
OF THE LATIN ALPHABET
2007

la Ligature Pananatomique

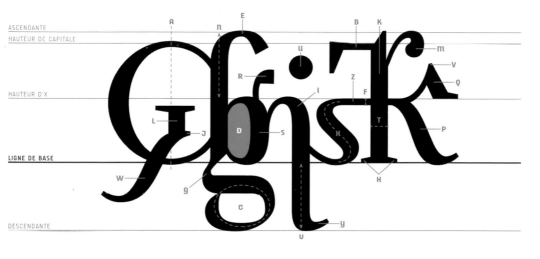

A axe	J éperon	S panse
B barre	K fût	T plein
C boucle	L gorge	U point
D contrepoinçon	m goutte	V pointe
E crochet	n hampe	W queue
F délié	o jambage	K spine
g délié de jonction	P jambe	y terminaison
H empattement	Q oblique	Z traverse
I épaule	R oreille	

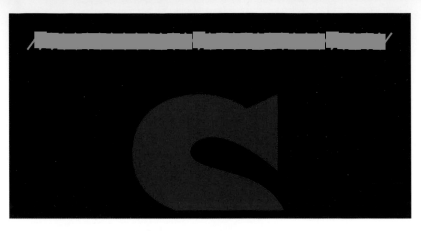

"SANS MERCI"
SMELTERY TYPEFACE
2007

« SANS MERCI »
FONTE SMELTERY
2007

⊞ SMeltery'

Sans Merci

an Incisive Font for Sharp Words

designed by Jack Usine

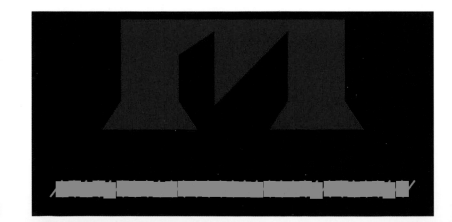

Wakizashi

MISERIC◉RDE

BAÏONNETTE AUTRICHIENNE MODÈLE 1854

Pique Révolutionnaire

SAINTE LANCE

LA FAUCILLE & ◆ LA FAUX

kandjar

DAGUE DE ◆ JET !

Joyeuse & bâtarde

poignard romantique

BOWIE KNIFE

SABRE D'ABORDAGE

couteau serpette

Vidange

A a a *A* *a* a
A a a *A* *a* a
A a a *A* **a** a
A a a **A** **a** a

« VIDANGE »
FONTE SMELTERY
DISPONIBLE CHEZ PSY/OPS
2005-2008

"VIDANGE"
SMELTERY TYPEFACE
AVAILABLE FROM PSY/OPS
2005-2008

designergu8isap / 064 / GUSTO

Garage *Against* Sainte-Machine

HUILES SMITH

ATTENTION

Super *Sans-Plomb* 98

Workin'Girl

Quel est le rythme de production ?

→ STATION SERVICE

Reservoir Dogs

Travail Laborieux !

CHARTE GRAPHIQUE DE L'EXPOSITION
« ART & PAYSAGE ».
CRÉATION, À CETTE OCCASION, DE LA FONTE
« STIGMATE » INSPIRÉE DES GRAFFITIS
GRAVÉS DANS L'ÉCORCE DES ARBRES.

CARTON D'INVITATION : 15 x 21 CM
PLAN DE L'EXPOSITION : 10 x 20 CM PLIÉ,
60 x 40 CM OUVERT
ARTIGUES-PRÈS-BORDEAUX, 2007

GRAPHIC GUIDELINES FOR
THE EXHIBITION "ART & PAYSAGE"
[ART & LANDSCAPE] FEATURING
A NEWLY-DESIGNED TYPEFACE,
"STIGMATE", INSPIRED BY GRAFFITI
CARVED IN THE BARK OF TREE TRUNKS.

INVITATION: 15 x 21 CM
EXHIBITION PLAN: 10 x 20 CM FOLDED,
60 x 40 CM OPEN
ARTIGUES-PRÈS-BORDEAUX, 2007

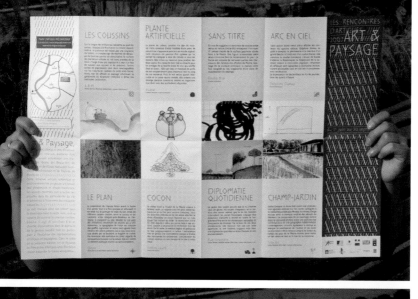

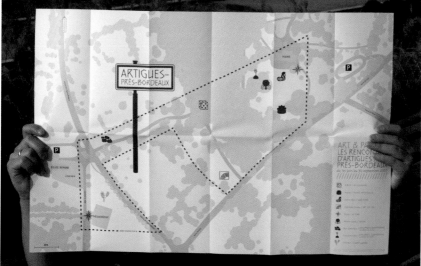

« TROTTOIR »
RÉAPPROPRIATION DE LA FONTE
(EN FONTE DUCTILE) DES REGARDS DE
TROTTOIR MADE IN PONT-À-MOUSSON
FONTE SMELETRY
2005–2007

"TROTTOIR"
REVIVAL OF THE PONT-À-MOUSSON'S
SEWER COVERS FONT
SMELETRY TYPEFACE
2005–2007

CAPC, MUSÉE D'ART CONTEMPORAIN
FLYER-PROGRAMME : 15 x 21 CM PLIÉ,
25 x 35 CM OUVERT
BORDEAUX, 2007

CAPC MUSEUM OF CONTEMPORARY ART
FLYER-PROGRAMME : 15 x 21 CM FOLDED,
25 x 35 CM OPEN
2007

Sainte Machine

présente

LOGORRHÉE PUBLIQUE

EXPOSITION COLLECTIVE

du 14 septembre au 2 décembre 2007

AVEC: NELSON BISHOP, JOHN BOBAKH, DEEPHOP, DELLASTRADA, ELYSEE SPEER, FANNY GARCIA, GREMS SUPERMICRO, GUSTO, KOLONA, MOAM, SHLAG, SMELTERY, TT CREW, JACK USINE, LE VILAIN, VIRASSAMY & WARKSHOP

VERNISSAGE | 19H
JEUDI 13 SEPTEMBRE

Capc MUSÉE D'ART CONTEMPORAIN DE BORDEAUX

7 rue ferrère — Bordeaux

WWW.SAIRTE-MACHINE.COM

AFTERSHOW | 22H
Grems aka Supermicro
Nelson Bishop . . . . . .
Dr Slang . . . .
Dj Steady . . . .
Adjust . . . .
Km3 . . . .
au Sunshine
1 cours de la martinique
——— BORDEAUX ———

ne pas jeter sur la voie publique

designergraphisap / 064 / GUSTO

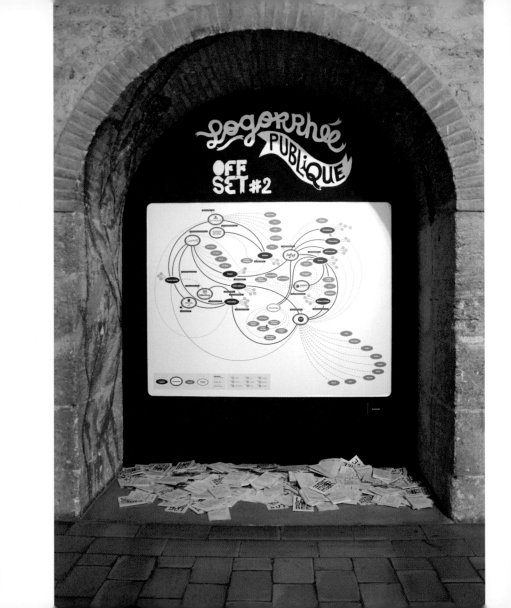

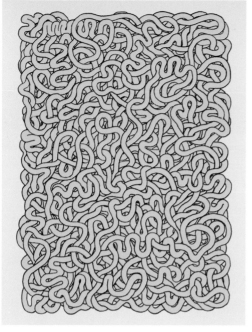

PAGES 50 À 57 :
« LOGORRHÉE PUBLIQUE »
EXPOSITION COLLECTIVE DE GRAPHISME(S)
PRÉSENTÉE PAR LE COLLECTIF SAINTE-MACHINE
AVEC NELSON BISHOP, JOHN BOBAXX,
DELLASTRADA, FANNY GARCIA,
GREMS AKA SUPERMICRO, KOLONA, MOAM,
JACK USINE, VIRASSAMY & WARKSHOP,
DANS LE CADRE DU CYCLE D'EXPOSITIONS
« OFF SET » CURATÉES PAR ÉTIENNE BERNARD
AU CAPC, MUSÉE D'ART CONTEMPORAIN
BORDEAUX, 2007

PAGES 50 TO 57 :
"LOGORRHÉE PUBLIQUE"
[PUBLIC LOGORRHŒA]
GROUP EXHIBITION OF GRAPHIC-DESIGN WORK
BY SAINTE-MACHINE AS PART OF THE "OFF SET"
EXHIBITION SERIES CURATED BY ÉTIENNE BERNARD.
WITH NELSON BISHOP, JOHN BOBAXX,
DELLASTRADA, FANNY GARCIA,
GREMS AKA SUPERMICRO, KOLONA, MOAM,
JACK USINE, VIRASSAMY & WARKSHOP.
CAPC, MUSEUM OF CONTEMPORARY ART
BORDEAUX, 2007

PAGES PRÉCÉDENTES :
FLYER DE L'EXPOSITION
RECTO VERSO
10 x 15 CM

PREVIOUS PAGES:
FLYER OF THE EXHIBITION
RECTO/VERSO
10 x 15 CM

CETTE PAGE :
MYTHOGRAPHIES
SÉRIE DE DIX AFFICHES SÉRIGRAPHIÉES
60 x 80 CM
2007

THIS PAGE:
MYTHOGRAPHIES
SERIES OF 10 SCREENPRINTED POSTERS
60 x 80 CM
2007

vertrekken

PAGES 58 À 61 :
DESSINS DE RÊVES
DEPUIS 2003

PAGES 58 TO 61 :
DRAWINGS OF DREAMS
SINCE 2003

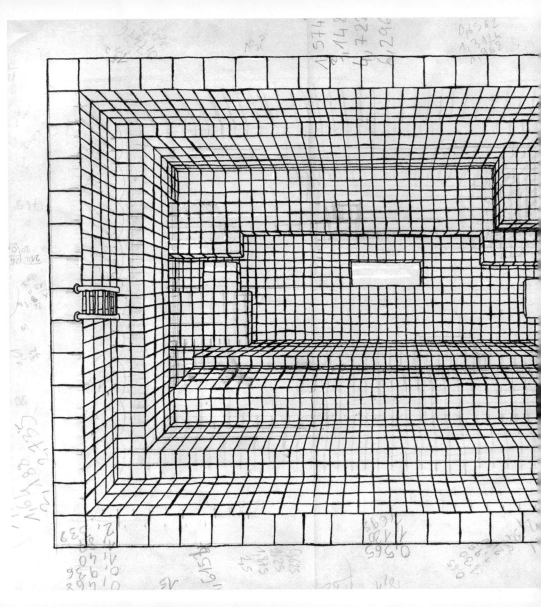

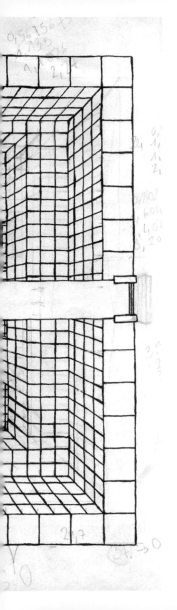

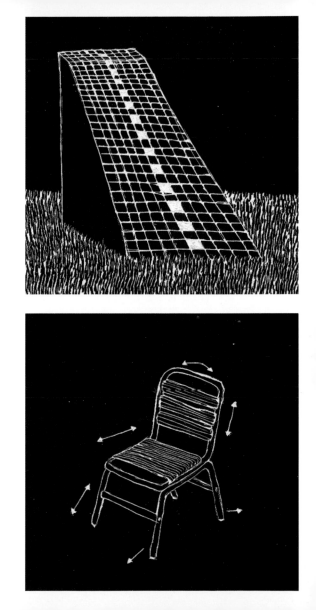

PAGES 62 À 65 :
« BUVONS DU VIN ! »
PREMIÈRE EXPOSITION DU COLLECTIF
SAINTE-MACHINE, À L'ESPACE 29
AVEC JOHN BOBAXX, CHRISTOPHE BOUVET,
FANNY GARCIA, GUILLAUMIT, HAVEC,
KBANDITTA, MOAM, MR KERN ET JACK USINE.
PHOTOGRAPHIES : JEAN-CHRISTOPHE GARCIA
BORDEAUX, 2006

PAGES 62 TO 65:
"BUVONS DU VIN !"
[LET'S DRINK WINE!]
SAINTE-MACHINE'S FIRST EXHIBITION
AT ESPACE 29, WITH JOHN BOBAXX,
CHRISTOPHE BOUVET, FANNY GARCIA,
GUILLAUMIT, HAVEC, KBANDITTA, MOAM,
MR KERN AND JACK USINE.
PHOTOGRAPHS: JEAN-CHRISTOPHE GARCIA
BORDEAUX, 2006

CETTE PAGE :
AFFICHE ET FLYER
DE L'EXPOSITION
40 x 60 CM / 10 x 15 CM

THIS PAGE:
POSTER AND FLYER
FOR THE EXHIBITION
40 x 60 CM / 10 x 15 CM

FANGAZINE Nº 1 ISSUE SAINTE-MACHINE
FANZINE ÉDITÉ À L'OCCASION
DE L'EXPOSITION « BUVONS DU VIN ! »
10,5 x 14,85 CM, 16 PAGES
2006

FANGAZINE Nº 1 ISSUE SAINTE-MACHINE
FANZINE PUBLISHED FOR THE "BUVONS
DU VIN !" [LET'S DRINK WINE] EXHIBITION
10,5 x 14,85 CM, 16 PAGES
2006

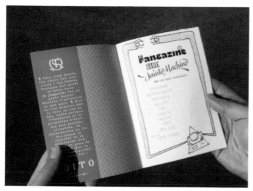
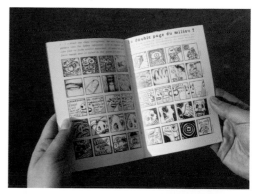

IDENTITÉ VISUELLE DU CAFÉ POMPIER
CARTES DE VISITE ET LOGO
CELUI-CI EST INSPIRÉ DU BLASON
ORNANT LA FAÇADE DU CAFÉ,
ANCIENNEMENT UNE CASERNE
BORDEAUX, 2005

VISUAL IDENTITY OF CAFÉ POMPIER
BUSINESS CARDS & LOGO INSPIRED
BY THE COAT OF ARMS THAT ADORNS
THE FAÇADE OF THE CAFÉ,
A FORMER FIRE STATION
BORDEAUX, 2005

INAUGU-
RATION

VENDREDI
25 NOVEMBRE à partir de **16H**

_Vl@digit@l (Revenge of the Nerds) ·········· electrobootyhop
_Homegang ·································· italo-eurocruok
_NXH ···································· live set
_et plus guests si affinité

CAFÉ POMPIER
www.cafepompier.com
7, place Renaudel — 33800 Bordeaux
05 56 91 65 28 / info@cafepompier.com

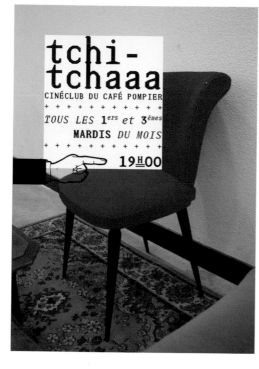

AFFICHES POUR DES ÉVÉNEMENTS
DU CAFÉ POMPIER
30 x 42 CM
2005

POSTERS FOR EVENTS
AT CAFÉ POMPIER
30 x 42 CM
2005

designergauβsap / 064 / GUSTO

VERNISSAGE™

LA TYPO
→REGULAR

QUI SENT BON
→OBLIQUE

LA PEINTURE
→STENCIL

FRAÎCHE

« VERNISSAGE »
FONTE SMELTERY
2005

"VERNISSAGE"
SMELTERY TYPEFACE
2005

LOGOS POUR LE CENTRE D'ART
CONTEMPORAIN MILANAIS
ISOLA
AVEC MOAM ET DELLASTRADA
ITALIE, 2005

LOGOS FOR A CONTEMPORARY ART
CENTRE IN MILAN, ISOLA
WITH MOAM & DELLASTRADA
ITALY, 2005

THE END POSTER
STENCIL, STUCK UP
IN THE STREET
30 x 42 CM
2003

AFFICHE *THE END*
RÉALISÉE AU POCHOIR
ET COLLÉE DANS LES RUES
30 x 42 CM
2003

USINE AND WASHING MACHINE
TEE-SHIRTS
DISTRIBUTED BY THE
Je Rêve Que Je Dors LABEL
WWW.JRQJD.COM
2005-2006

TEE-SHIRTS USINE ET WASHING
MACHINE DIFFUSÉS PAR LE LABEL
Je Rêve Que Je Dors
WWW.JRQJD.COM
2005-2006

PAGES 76-77 ET 81 :
USINES
PAGES 78-79 : AVEC GREMS
PAGE 80 : AVEC BOBAXX
BORDEAUX, 2005-2007

PAGES 76-77 AND 81:
FACTORIES
PAGES 78-79: WITH GREMS
PAGE 80: WITH BOBAXX
BORDEAUX, 2005-2007

ÉCOLE supérieure de THÉÂTRE
Bordeaux Aquitaine

DIRECTION
Jean-Luc Portelli / Dominique Pitoiset

CONCOURS AVIS D'OUVERTURE ET DE

UNE ÉCOLE SUPÉRIEURE DE THÉÂTRE À BORDEAUX ET EN AQUITAINE

Une nouvelle école ouvre ses portes en septembre 2007 à Bordeaux : l'éstba, école supérieure de théâtre Bordeaux Aquitaine.

Elle accueillera dès son ouverture une promotion de quatorze étudiants de 18 à 26 ans pour une formation professionnelle de trois ans (2007-2010) dédiée au métier de comédien.

Afin de recruter la première promotion de l'éstba, un concours d'entrée au niveau national et européen est organisé au printemps 2007.

L'éstba est cofinancée par la Région Aquitaine, la Ville de Bordeaux et le Ministère de la culture (DRAC Aquitaine)

AQUITAINE

UNE ÉCOLE DANS UN THÉÂTRE, UN THÉÂTRE DANS UNE ÉCOLE

L'éstba est née de la volonté conjointe du Conservatoire de Bordeaux Jacques Thibaud et du TnBA – Théâtre national de Bordeaux en Aquitaine. Elle est à ce titre placée sous la direction de Jean-Luc Portelli et Dominique Pitoiset.

Seule école de niveau national avec Montpellier et Rennes, elle fonde son projet sur la spécificité d'une école dans un théâtre et d'un théâtre dans une école.

Elle est intégrée à la Plateforme nationale de l'enseignement supérieur pour la formation du comédien et fait partie des 9 écoles françaises de formation aux métiers du théâtre reconnues par le Ministère de la Culture et susceptibles de délivrer le futur diplôme de comédien certifié par l'État.

La première promotion (septembre 2007 - juin 2010), recrutée au printemps 2007, est placée sous la direction artistique du metteur en scène Dominique Pitoiset.

« Au TNS, où je me suis formé, puis à Rennes, Milan, Turin ou Paris, que ce soit à proximité avec de jeunes comédiens, j'ai toujours été sensible à la façon dont la formation du comédien trouvait sa légitimité et sa raison d'être au cœur d'un théâtre. Une école au cœur d'un théâtre, c'est sur ce modèle qu'avec le Conservatoire nous souhaitons bâtir. Que l'école soit au cœur de notre théâtre, en devienne un élément moteur... » — Dominique Pitoiset

« Pour définir le Conservatoire que se dirige comme un lieu de vie, d'échange et de recherche entre « artistes en résidence » (les enseignants) et « artistes en formation » (les étudiants). Cette démarche qui trouve tout son sens de la formation initiale à l'insertion professionnelle, doit être confortée aux exigences du milieu professionnel du spectacle vivant qu'il s'agit de formation supérieure » — Jean-Luc Portelli

concours d'entrée

¶ CALENDRIER DU CONCOURS

- Dossier d'inscription à retourner le 27 avril au plus tard.
- Épreuves d'admissibilité (premier tour) : 23 au 25 mai, 30 mai au 1er juin et 4 au 8 juin (en fonction du nombre de candidats).
- Épreuves d'admission (deuxième tour) : 18 au 22 juin.

¶ CONDITIONS GÉNÉRALES D'ADMISSION

les candidats devront :
1 / Être âgés de plus de 18 ans et de moins de 26 ans au 1er janvier 2007; aucune condition de nationalité n'est requise, mais tous les candidats doivent parler la langue française.
2 / Être titulaires du baccalauréat ou d'une équivalence. Les dérogations peuvent être accordées, après étude par une commission interne à l'école et sur demande motivée.
3 / Présenter un document attestant d'une formation initiale ou d'une pratique théâtrale d'au moins une année.

¶ INSCRIPTION AU CONCOURS

se procurer la fiche d'inscription au concours :
Au Conservatoire : T +33 (0)5 56 33 94 51 // cnscamaac-bordeaux.fr
ou en téléchargeant le document sur www.bordeaux.fr
Au TnBA : T +33 (0)5 56 33 36 60 // estbaatnba.org
ou en téléchargeant le document sur www.tnba.org

Le dossier d'inscription au concours doit être retourné avant le 27 avril à :
TnBA - Théâtre national de Bordeaux en Aquitaine - estba
Square Jean Vauties - BP 7 // F 33031 Bordeaux Cedex
T +33 (0)5 56 33 36 60 // estbaatnba.org

la candidature doit être accompagnée de :
- Une lettre exposant les motivations à s'engager à l'éstba pour une durée de trois ans.
- Quelques lignes relatant une expérience de spectateur ayant fortement influencé la sensibilité et la volonté artistique du candidat.
- Un chèque de 30 € par personne pour frais d'inscription au concours (chèque libellé à l'ordre du TnBA).
- Une photocopie d'une pièce d'identité.

Les candidats seront convoqués individuellement par courrier.

¶ DÉROULEMENT DES ÉPREUVES

premier tour :
Les épreuves auront lieu au TnBA du 23 au 25 mai, 30 mai au 1er juin, 4 au 8 juin (en fonction du nombre de candidats).

Chaque candidat doit préparer trois scènes de trois minutes chacune dans le répertoire suivant :

SCÈNE 1 / Une scène dialoguée au choix dans le répertoire classique : Sophocle, Shakespeare, Molière, Tchekhov ou Brecht.

SCÈNE 2 / Une scène dialoguée au choix du candidat dans le répertoire contemporain.

SCÈNE 3 / Un parcours libre au choix du candidat relevant de toute forme d'expression scénique. Ce troisième essai pourra ou sera présenté que sur demande du jury.

Le candidat doit prévoir de se munir de sa réplique.

Il peut également s'ensuivre un court échange si le jury l'estime nécessaire.

Les résultats seront communiqués à l'issue de la dernière journée de cette première phase.

deuxième tour :
Une quarantaine de candidats seront retenus et convoqués pour un stage qui se déroulera du 18 au 22 juin au TnBA. Les stagiaires seront répartis en quatre groupes tournant dans des ateliers de mise en jeu, improvisations, travail du corps, de la voix et de l'imaginaire, dirigés par des professionnels en activité.

Les résultats définitifs seront annoncés à l'issue du stage.

la formation

¶ LE PROGRAMME

L'éstba propose une formation complète en trois ans, mêlant approches pédagogiques et artistiques. Le cursus s'articule autour de quatre principes directeurs : l'interprétation, les apprentissages techniques, la culture générale et théâtrale, la préparation aux réalités socio-professionnelles du métier de comédien.

Les étudiants alterneront durant leur formation :
- **Les fondamentaux du théâtre et du spectacle** (spatialisation et étude du mouvement, technique corporelle, danse, travail vocal, improvisation, pratique instrumentale...).
- **Des apports théoriques** (histoire de l'art contemporain, histoire du théâtre...) notamment à l'occasion de séminaires en lien avec les ateliers pratiques.
- **Des ateliers pratiques** d'une durée de 3 à 6 semaines.
- **Des rencontres** régulières avec les metteurs en scène ou auteurs invités au TnBA dans le cadre de la saison.

¶ L'ÉQUIPE PÉDAGOGIQUE ET ARTISTIQUE

La promotion 07/10 est placée sous la direction artistique et pédagogique de Dominique Pitoiset, assisté de Gérard Laurent, conseillers aux études théâtrales du Conservatoire.

Les fondamentaux du théâtre seront confiés aux enseignants du Conservatoire ou à des intervenants extérieurs : Leslie Benac, Thierry Bosdeux, Patricia Chen, Blandine Daoré, Françoise Calmes, Gérard Laurent, André Loncin, Aude Dosthack...

Les apports théoriques à des enseignants, universitaires, dramaturges ou spécialistes de l'écrit, français ou étrangers : Christian Biet, Daniel Loayza, André Mackowicz...

Les ateliers pratiques à des metteurs en scène, tous liés ou autres et en exercice, français ou étrangers : Catherine Marnas, Dominique Pitoiset, Jean-Marie Villégier, Aurélien Bécy, Nuno Cardoso (Portugal), Anton Kousnetzov (Russie)...

¶ VIE SCOLAIRE

frais de scolarité
- Résidents à Bordeaux : 184 €
- Non-résidents à Bordeaux : 312 €

statut
Les élèves ont le statut d'étudiants et élèves du Conservatoire.

bourses
Les élèves peuvent bénéficier de Bourses attribuées par la DRAC selon les critères de l'enseignement supérieur.

renseignements / contacts

CONSERVATOIRE DE BORDEAUX JACQUES THIBAUD
Bureau des inscriptions
22, quai Sainte Croix - BP 90060
F 33033 Bordeaux Cedex
tél. +33 (0)5 56 33 94 51
conservatoire-bordeaux.fr

esø bat

TnBA - THÉÂTRE NATIONAL DE BORDEAUX EN AQUITAINE
estba
Square Jean Vauties - BP 7
F 33031 Bordeaux Cedex
tél. +33 (0)5 56 33 36 60
estbaatnba.org

La fiche d'inscription au concours ainsi que le livret-programme de l'école sont téléchargeables sur des sites Internet ou peuvent être envoyées par courrier ou mail sur simple demande.

Rentrée le jeudi 13 septembre 2007

FLYER POUR LES JOURNÉES
PORTES OUVERTES DE L'ÉCOLE
DES BEAUX-ARTS DE BORDEAUX
15 x 21 CM
2007

FLYER FOR BORDEAUX FINE
ARTS SCHOOL OPEN DAYS
15 x 21 CM
2007

EMBT - Enric Miralles
Benedetta Tagliabue
architectes \ Barcelone \ Espagne

une vague colorée

LE MARCHÉ SANTA CATERINA

2004 \ Barcelone \ Espagne ←

LA BIBLIOTHÈQUE PUBLIQUE DE SEATTLE

////////////
1 BÂTIMENT \ un architecte *collection d'architectures* | **5**
///////////////////
OMA – Rem Koolhaas

DOCUMENT DE TRAVAIL
mai 2006

LE TERMINUS DU TRAMWAY DE STRASBOURG

////////////
1 BÂTIMENT \ un architecte *collection d'architectures* | **2**
///////////
Zaha Hadid

DOCUMENT DE TRAVAIL
mai 2006

LA TOUR AGBAR

///////////
1 BÂTIMENT \ un architecte *collection d'architectures* | **9**
///////////
Jean Nouvel

DOCUMENT DE TRAVAIL
mai 2006

UN BÂTIMENT / UN ARCHITECTE
ARC EN RÊVE, CENTRE D'ARCHITECTURE
PROPOSITION NON RETENUE
AFFICHE PHOTO : 60 x 80 CM
AFFICHE INFOS : 30 x 80 CM
CARNETS : 10 x 15 CM
2006

ONE BUILDING / ONE ARCHITECT
ARC EN RÊVE, ARCHITECTURE CENTRE
(NON-SELECTED PROPOSAL)
PHOTO POSTER: 60 x 80 CM
INFORMATION POSTER: 30 x 80 CM
BROCHURES: 10 x 15 CM
2006

XXXVᵉˢ JOURNÉES de l'ÉCOLE
de la CAUSE FREUDIENNE

*L'Envers
des familles*

Le lien familial
dans l'expérience psychanalytique

21 et 22 OCTOBRE 2006

PALAIS des CONGRÈS

PORTE MAILLOT

PARIS

Renseignements & inscriptions :
ECF : 1, rue Huysmans 75006 Paris
tél. : 01 45 49 02 68 — fax : 01 42 84 29 76
www.causefreudienne.org

Thèmes

→ Interroger le Complexe d'Œdipe à l'ère des nouvelles formes de la famille
→ Le binaire névrose-psychose en question, au temps de l'Autre qui n'existe pas
→ Actualité du « déclin de l'imago paternelle »
→ Le couple père-mère aujourd'hui
→ Le lien fraternel et sororal
→ La causalité familiale des psychoses
→ La famille reconsidérée à partir des formules de la sexuation
→ La famille prise dans la perspective du sinthome
→ L'état évalue la famille : qu'en dit le psychanalyste ?
→ La psychanalyse face à l'idéal pseudo scientifique de la famille

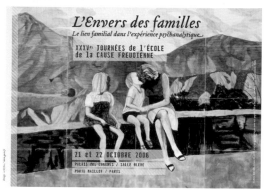

L'Envers des familles
Le lien familial dans l'expérience psychanalytique

XXXVes JOURNÉES de l'ÉCOLE de la CAUSE FREUDIENNE

21 et 22 OCTOBRE 2006
PALAIS DES CONGRÈS / SALLE BLEUE
PORTE MAILLOT / PARIS

Je proposerai que nous prenions comme thème du débat, un texte très bref de Lacan, que j'avais vu arriver chez moi sous la forme de deux morceaux de papier de Jenny Aubry, de telle sorte que j'avais cru qu'il s'agissait de deux notes distinctes qu'il sa demande Lacan lui avait remises. Une fois publié dans son intégralité, je me suis aperçu que cela formait un même texte, un recto verso, avec très peu de paragraphes, extrêmement efficace, mais tout entier écrit dans la perspective du symptôme, ce qui nous laisse à reconstituer ce que serait la seconde perspective, celle du sinthome.

C'est un texte où Lacan prend pour acquis ce qu'il appelle « l'Échec des utopies communautaires », qui étaient à l'époque de chercher à élargir le cercle de famille, à élever les enfants en commun et à faire exister une entité collective au-delà du cercle de famille. Il est amusant de constater, tout au contraire, la vitalité de la conjugalité, modifiée d'un rien, modifiée par l'homosexualité. On vérifie que la fonction de la famille conjugale reste dominante et il n'est plus question de l'utopie communautaire.

On peut remarquer la lucidité de Lacan quand il note que la famille conjugale a une fonction de résidu dans l'évolution des

sociétés et que c'est précisément parce qu'elle est à l'état de résidu, à l'état d'objet petit a qu'elle se maintiendra. Ce que nous vivons aujourd'hui le confirme. Il interprète cette résistance même de la famille conjugale par le caractère irréductible de la transmission, non pas la transmission d'un savoir, ni la transmission des besoins, mais une transmission constituante pour le sujet. Cela suppose sa relation à un désir qui ne soit pas anonyme. Ça, c'est vraiment très fort ! Il y a là une nécessité c'est-à-dire quelque chose qui ne cesse pas de s'écrire. Que n'importe qui puisse faire fonction et s'intéresser à n'importe qui, abrase la possibilité du désir. Il faut que le sujet soit ici appelé à la singularité du « je », de la même façon d'ailleurs qu'on ne s'analyse pas avec la psychanalyse, mais avec un ou une psychanalyste. Il ne suffit pas de lire Freud et Lacan pour s'analyser avec. Il faut que cela soit activé d'une façon qui ne soit pas anonyme. Dans ce nouveau déchiffrage que Lacan propose et du même coup permet, il insiste pour que la mère ait un intérêt particularisé pour l'enfant et que le père soutienne une incarnation de la loi dans le désir, c'est-à-dire que ce ne soit pas désincarné. Et la grosse erreur avait été de considérer que Lacan, dans la métaphore paternelle, exaltait la fonction paternelle, dont il avait de longtemps signalé la déchéance. Il s'agit au contraire, d'une matrice des fonctions freudiennes qui, présentée ainsi, fait découvrir qu'il ne s'agit que de semblants.

Dans cette note, Lacan introduit la référence au symptôme de l'enfant comme représentant une vérité. Il y a aussi des notations tout à fait intéressantes concernant le symptôme somatique de l'enfant et les ressources qu'il offre, qui fait penser à ce qu'on

voit malheureusement aujourd'hui du côté de certaines familles d'autistes qui découvrent une ressource inénarrable à témoigner de la culpabilité, servir de fétiche ou incarner un primordial refus, ces trois versions reflétant me semble-t-il, la névrose, la perversion et la psychose.

Autrement dit, je propose que nous adoptions pour les prochaines journées le thème familial, illustré par des cas cliniques : Pourquoi pas : « Les phénomènes familiaux » ? Plus sérieux : « Le lien familial dans l'expérience analytique ». Ce thème familial a en effet une forme bien particulière du lien social. On pourrait même dire que c'est le seul lien qui s'inscrit d'un rapport dont on peut rêver qu'il soit naturel. Enfin, il n'est est pas moins tout à fait dénaturé et comme Lacan le note dans le Séminaire le Sinthome, la nature est un pot pourri de hors nature.[1]

→ Extrait de l'intervention de Jacques-Alain Miller au XXXVes Journées de l'ECF en novembre 2004, dont le texte a été établi par Monique Amirault et Dominique Holvoet.

Bulletin d'inscription

XXXVes JOURNÉES de l'ÉCOLE de la CAUSE FREUDIENNE

nom .... prénom ....
adresse ....
code postal .... ville .... pays ....
tél. .... e-mail ....

☐ inscription personnelle : 110€
☐ étudiant (moins de 26 ans, sur justificatif) : 50€

Chèques bancaires à l'ordre de l'ECF à transmettre à :
ECF postales – 1, rue Huysmans – 75006 Paris

RÈGLEMENT PAR CARTE BANCAIRE (commission de prélèvement)
☐ Visa ☐ Mastercard ☐ Eurocard   N° de carte ....
date d'expiration .... nom du titulaire ....

RÈGLEMENT SÉCURISÉ EN LIGNE (uniquement inscription personnelle à 110€)
→ www.causefreudienne.org

☐ inscription au titre de la FORMATION MÉDICALE CONTINUE : 110€
☐ inscription au titre de la FORMATION PERMANENTE : 210€

Chèques bancaires à l'ordre de l'IPORCA (à adresser à Bordeaux avant le 15 septembre) :
DOSSIER À TRANSMETTRE À : IPORCA Secrétariat général
75, place Charles Gruet – 33000 Bordeaux
Fax : 05 56 81 56 75 / e-mail : olorca@wanadoo.fr

nom de l'institution ....
adresse ....
tél. .... fax ....
e-mail .... nom du responsable ....
de la FORMATION PERMANENTE

IDENTITÉ GRAPHIQUE DES 35èmes JOURNÉES DE L'ÉCOLE DE LA CAUSE FREUDIENNE
ILLUSTRATION ©MARC BAUER,
AVEC L'AIMABLE AUTORISATION
DE PRAZ-DELAVALLADE
AFFICHE : 30 x 42 CM
BROCHURE 4 PAGES : 21 x 15 CM

35TH RESEARCH CONFERENCE
OF THE ECF (ÉCOLE DE LA CAUSE FREUDIENNE)
[SCHOOL OF THE FREUDIAN CAUSE]
ILLUSTRATION ©MARC BAUER,
COURTESY PRAZ-DELAVALLADE
POSTER: 30 x 42 CM
BROCHURE 4 PAGES: 21 x 15 CM

designerguйsap / 064 / GUSTO

ATTENTION
INTERVENTION URBAINE
DU COLLECTIF SAINTE-MACHINE
BORDEAUX, 2005

ATTENTION
URBAN INTERVENTION BY THE
SAINTE-MACHINE COLLECTIVE
BORDEAUX, 2005

PAGES SUIVANTES :
TEE-SHIRT UNIVERSITY OF BORDEL
POUR SAINTE-MACHINE ET ILLUSTRATION
POUR LE SITE *WWW.SAINTE-MACHINE.COM*
2006-2007

NEXT PAGES:
UNIVERSITY OF BORDEL
[SHAMBLES] TEE-SHIRT
FOR SAINTE-MACHINE AND ILLUSTRATION
FOR *WWW.SAINTE-MACHINE.COM*
2006-2007

BORDEL MONUMENTAL
BADGE OFFICIEL !
HOMMAGE IRRÉVÉRENCIEUX
À NOTRE CHÈRE VILLE
BORDEAUX, 2006

BORDEL MONUMENTAL
[MONUMENTAL SHAMBLES]
OFFICIAL BADGE!
IRREVERENT TRIBUTE
TO OUR DEAR CITY
BORDEAUX, 2006

BORDEL
INSTALLATION *IN SITU*
SIGNÉE SAINTE-MACHINE
DURÉE DE VIE DU PROJET : 21 HEURES
BORDEAUX, 2005

BORDEL
[SHAMBLES]
IN-SITU INSTALLATION
BY SAINTE-MACHINE
PROJECT LIFETIME: 21 HOURS
BORDEAUX, 2005

BORDEL ANTI-CPE
BORDEAUX, 2006

BORDEL ANTI-CPE
[ANTI-CPE SHAMBLES]
A PROTEST AGAINST THE NEW
"FIRST EMPLOYMENT CONTRACT"
PROPOSED BY THE GOVERNMENT
BORDEAUX, 2006

LE VERRE
EN CRISTAL,
OU LA TYPOGRAPHIE
DEVRAIT ÊTRE INVISIBLE
Béatrice Warde,
1932

I MAGINEZ que vous ayez devant vous un flacon de vin. Pour cette démonstration imaginaire, munissez-vous de votre plus grand cru d'un rouge chatoyant. On pose deux verres devant vous. L'un est en or massif, décoré des motifs les plus raffinés. L'autre est en cristal pur, fin et transparent comme une bulle de savon. Versez et buvez, et, selon le verre que vous choisirez, je saurai vraiment si vous êtes un connaisseur de vin. Si vous n'avez aucune connaissance du vin d'une façon ou d'une autre, vous voudrez boire la substance dans un verre extrêmement coûteux; mais si vous êtes un membre de cette tribu en voie de disparition que sont les amateurs de grands crus, vous choisirez le cristal, parce qu'en lui tout est calculé pour *révéler* plutôt que cacher la belle chose qu'il a été conçu pour *contenir*.

Suivez-moi dans cette métaphore prolixe et parfumée; car vous constaterez que presque toutes les vertus du verre à vin parfait peuvent être mises en parallèle avec la typographie. Il y a cette longue et mince tige empêchant les traces de doigts sur le calice. Pourquoi? Parce qu'aucun voile ne doit venir entre vos yeux et le cœur ardent du liquide. Les marges des livres n'ont-elles pas cette qualité similaire d'éviter aux doigts de salir la page? Autre chose: le verre est incolore ou au plus faiblement teinté, parce que le connaisseur juge en partie le vin par sa couleur et est vigilant quant à tout ce qui peut modifier son apparence. Il existe mille maniérismes en

LE PIED DE BICHE

le pied de biche numéro 01—décembre 2004—*no screen today*

Heretica corps 48

corps 300

Parce-que Dieu est Suisse corps 27

abcdefghijklmnopqrstuvwxyz
ABCDEFGHIJKLMNOPQRSTUVWXYZ
0123456789$%&(.,:;!?) corps 12

corps 10

PAGES 98 À 101 :
LE PIED DE BICHE

« IL Y A UNE FLOPÉE DE TEXTES D'ORIGINE ANGLO-SAXONNE QUI GRAVITENT AUTOUR DE LA TYPOGRAPHIE, INACCESSIBLES, JALOUSEMENT GARDÉS, TROP FORTS POUR ÊTRE TRADUITS. C'EST L'OBJET DE CE ZINE, TRADUIRE CES TEXTES – *CRITICAL WRITINGS* – VUS MILLE FOIS DANS LES BIBLIOGRAPHIES ET JAMAIS LUS. » MICHEL APHESBERO (CONCEPTEUR ET COÉDITEUR)

NUMÉRO 1, 2005 : TRADUCTION DU TEXTE « LE VERRE EN CRISTAL, OU LA TYPOGRAPHIE DEVRAIT ÊTRE INVISIBLE », DE BÉATRICE WARDE.
NUMÉRO 2, 2005 : TRADUCTION DU TEXTE « J'AIME LE VERNACULAIRE… PAS! », DE MR KEEDY.
NUMÉRO 3, 2007 : TRADUCTION DU TEXTE « SUR L'ESPACE BLANC : QUAND MOINS EST PLUS », DE KEITH ROBERTSON.

PAGES 98 TO 101:
LE PIED DE BICHE
[CROWBAR]

"THERE'S A CLUTCH OF TEXTS OF ANGLO-SAXON ORIGIN ABOUT TYPOGRAPHY THAT ARE INACCESSIBLE, JEALOUSLY GUARDED AND TOO GOOD TO BE TRANSLATED. THE PURPOSE OF THIS ZINE IS TO TRANSLATE THESE CRITICAL WRITINGS – SEEN IN A THOUSAND BIBLIOGRAPHIES BUT NEVER READ." MICHEL APHESBERO (DEVISER & CO-PUBLISHER)

ISSUE 1, 2005: TRANSLATION OF "THE CRYSTAL GOBLET, OR PRINTING SHOULD BE INVISIBLE" BY BÉATRICE WARDE
ISSUE 2, 2005: TRANSLATION OF "I LIKE THE VERNACULAR… NOT!" BY MR KEEDY.
ISSUE 3, 2007: TRANSLATION OF "ON WHITE SPACE: WHEN LESS IS MORE" BY KEITH ROBERTSON.

J'AIME LE

Keedy Sans, dessiné en 1989

*Vernaculaire = de pays, du cru. Peu employé en français courant jusqu'à ces dernières années. Aujourd'hui, ce mot court les rues. D'un usage fréquent en anglais.

L'usage le plus familier du vernaculaire* c'est de produire de la nostalgie. Le problème avec le vernaculaire nostalgique est qu'il vole le passé pour dénier le futur. Le passé est pillé de son authenticité et de son contexte historique (ou spécifique) pour être réécrit comme si c'était un épisode de *Happy Days* ou une peinture de Norman Rockwell. L'absence ravive les sentiments et il n'y a rien de mieux comme fiction que le «bon vieux temps». Cette espèce de rêverie nostalgique sert à fuir l'anxiété d'un avenir incertain ; c'est moins une citation historique qu'un *gimmick* nostalgique. L'authenticité n'est pas une grande priorité pour les graphic designers parce que ce que nous recherchons, c'est la sensation et non l'émotion. Cela nous permet de jouer vite et à la légère avec l'histoire pour construire des atmosphères, comme celles des années trente de l'art déco ou des années 50, qui ne correspondent jamais vraiment à aucune période, lieu ou personnes spécifiques. Ce n'est pas le passé, c'est mieux que le passé – et le présent et le futur. Se réfugier dans la nostalgie, c'est tourner le dos au présent et fuir le futur avec effroi. Si les graphic designers passent leur temps à rêvasser au bon vieux temps, alors qui va nous montrer à quoi ressemble le futur ? Qui est en charge d'inventer demain ? Sommes-nous si embarrassés que les visions modernistes de Herbert Bayer, Raymond Loewy, et Bucky Fuller ne se soient pas réalisées, que nous sommes obligés de nous réfugier dans quelque vie passée imaginaire qui n'a pas vraiment existé non plus.

L'artiste commercial fut transformé en graphic designer avec l'aide et l'encouragement du modernisme. L'identité du graphic design est si codépendante du modernisme qu'on n'ose pas envisager le design en dehors du paradigme moderniste. Maintenant dans une ère de pluralité post-moderne et de changement technologique, le bon vieux temps des réponses faciles et sans remise en cause du modernisme a disparu à jamais. C'est pourquoi le graphic design souffre

LE PIED DE BICHE NUMÉRO 02 – JUIN 2005 – PAS D'ÉCRAN AUJOURD'HUI

GERONTO

	CORPS
DEAR JACK	56
MY PRIMARY USE	39
IS WRITING LETTERS	28
USING FANCY FONTS TO OLD RELATIVES	15
WHO DON'T USE THE WEB.	23
THEY JUST LOVE A LETTER IN HUGE TYPE	15
THAT THEY CAN READ AND CAN APPRECIATE BEAUTIFUL FONTS.	9
I SAW YOUR FONT GERONTO	22
AND THOUGHT THAT IT WOULD BE JUST LOVELY	12
FOR WRITING	45
TO MY AUNT	58
WHO HAS JUST HAD A	22
CATARACT	16
OPERATION LAST WEEK.	25
SHE IS QUITE WELL KNOWN FOR HER ART IN NEW-ZEALAND	10
AND HAS BEEN WAITING TO GET ENOUGH SIGHT BACK	12
TO BE ABLE TO PAINT AGAIN.	21
KIND REGARDS, MARGARET	23

Sur l'espace blanc : quand moins est plus.

Keith Robertson...

PREMIÈRE PUBLICATION ÉMIGRE #28, PRINTEMPS 1993

L'espace blanc n'est rien. L'espace blanc est l'absence de contenu. Comment peut-on attribuer autant de valeur à quelque chose d'aussi minime ?

Si l'on devait tracer un continuum du goût, du trash à la qualité, il y a une variable, en design graphique, qui grandirait constamment avec l'accroissement en qualité, c'est l'espace blanc. Le design de qualité a développé une association (un code) avec l'espace blanc comme sa variable (ou signe) principale. La présence de l'espace blanc est un symbole d'élégance, de classe, de simplicité, l'essence du raffinement. L'absence d'espace blanc est un symbole de vulgarité, de grossièreté, de toc, de mauvais goût. Ces valeurs sont quelque chose que nous mettons des années à apprendre dans les écoles de design et, pour la plupart d'entre nous, designers praticiens, c'est une opinion qui régit le reste de notre vie professionnelle. Parce que l'espace blanc est le symbole suprême de classe, il est difficile de le dissocier de nos autres valeurs artistiques, parce que cela vous fait vous demander d'où proviennent images et styles et pourquoi nous les reproduisons.

C'est peut-être seulement dans cette ère post-moderne que nous pouvons commencer à être objectif à propos de la modernité. Dans le domaine des Beaux-Arts, la modernité ne traitait pas nécessairement d'espaces blancs. La peinture, par exemple, portait plus souvent sur de nouveaux sujets et de nouvelles façons de fabriquer l'image. À de rares occasions, comme par exemple dans l'œuvre de Malevitch ou de Mondrian, la simplicité de l'arrangement spatial était le thème majeur du projet moderniste ; mais ce sont essentiellement les qualités techniques et expressives de la ligne et de la couleur qui furent au cœur de la création moderne. Mais cela n'était pas le cas dans aucun des champs d'expression du design. Dans le design graphique comme en architecture la simplicité et le *less is more* gouvernent l'esthétique de l'âge moderne et on ne peut que présumer que ce principe stylistique partage les mêmes origines que, disons, les cubistes avec leur désir de révéler l'essence visuelle de la structure et de la forme. Donc j'en reviens à *repartir à zéro* qui est à la base de l'expression moderne.

Une partie du problème avec le Modernisme c'est qu'il est devenu si chargé de valeurs. Le Modernisme s'est développé dans la controverse et

LE PIED DE BICHE

numéro 03 — mai 2007 — no screen today

QBCDEFG*H*
Bold-Italic

IJKLMNOPA
Regular

RSTUVZXYW

qbcdefgh
Bold

ijklmnopa

rstuvzxyw
Italic

0123456789

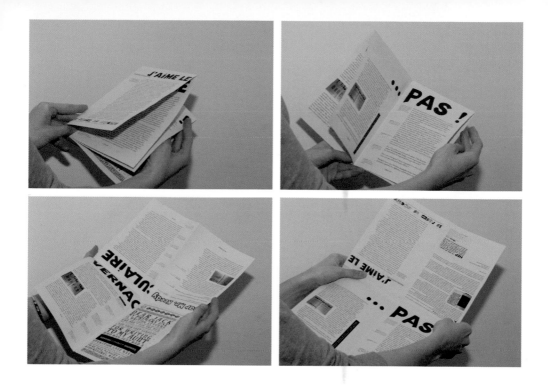

PAGES 102 A 105
« EX-VOTO-MATIC »
DEUXIEME EXPOSITION ORGANISÉE
PAR SAINTE-MACHINE AVEC KBANDITTA,
FANNY GARCIA, JACK USINE, JOHN BOBAXX,
HAVEC, KOLONA, PULKO, CHRISTOPHE
BOUVET, PRISCILLE CLAUDE
A LA GALERIE ARTEMIS
CI-CONTRE : FLYER. 10 x 15 CM
EYMET, DORDOGNE, 2006

PAGES 102 TO 105:
"EX-VOTO-MATIC", SECOND EXHIBITION
ORGANISED BY SAINTE-MACHINE WITH
KBANDITTA, FANNY GARCIA, JACK USINE,
JOHN BOBAXX, HAVEC, KOLONA, PULKO,
CHRISTOPHE BOUVET, PRISCILLE CLAUDE
AT GALERIE ARTEMIS
OPPOSITE: FLYER. 10 x 15 CM
EYMET, DORDOGNE, 2006

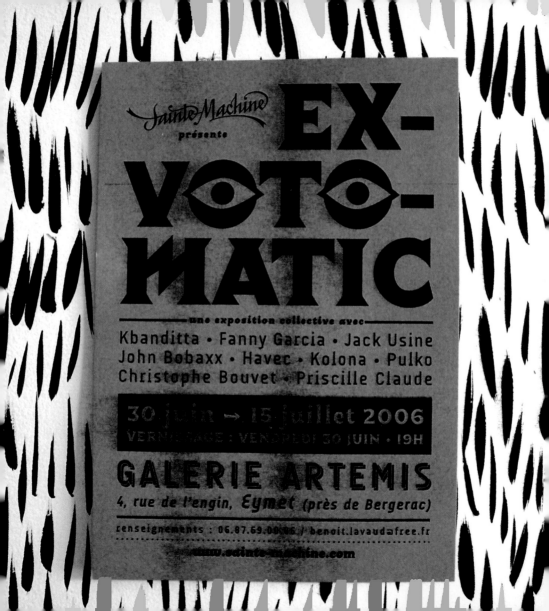

JE VOUDRAIS ÊTRE UNE MACHINE
À LAVER... VEDETTE
AFFICHE SÉRIGRAPHIÉE, 30×40 CM
2006

JE VOUDRAIS ÊTRE UNE MACHINE
À LAVER... VEDETTE
[I'D LIKE TO BE A... VEDETTE WASHING
MACHINE]
SCREENPRINTED POSTER, 30×40 CM
2006

PAGES 108 À 117 :
« QUIPROQUO »
IMPROVISATION GRAPHIQUE COLLECTIVE
ORCHESTRÉE PAR SAINTE-MACHINE
AVEC FANNY GARCIA, JACK USINE,
JOHN BOBAXX, MOAM, SHLAG, HAVEC,
EPHAMERON ET SPECIO AU THÉÂTRE
NATIONAL DE BORDEAUX-AQUITAINE
2007

CI-CONTRE : FLYER, 10×10 CM
PAGES SUIVANTES : AVEC MOAM ET SHLAG
PAGE 115 : AVEC JOHN BOBAXX, MOAM,
HAVEC, EPHAMERON ET SPECIO
PAGE 116 : ÉTAGÈRE À FLYERS RÉALISÉE
AVEC L'ÉQUIPE TECHNIQUE DU TnBA

PAGES 108 TO 117:
"QUIPROQUO"
A GRAPHIC IMPROVISATION ORCHESTRATED
BY SAINTE-MACHINE WITH FANNY GARCIA,
JACK USINE, JOHN BOBAXX, MOAM, SHLAG,
HAVEC, EPHAMERON AND SPECIO AT THE
THÉÂTRE NATIONAL DE BORDEAUX-AQUITAINE
2007

THIS PAGE: FLYER, 10×10 CM
NEXT PAGES: WITH MOAM AND SHLAG
PAGE 115: WITH JOHN BOBAXX, MOAM,
HAVEC, EPHAMERON AND SPECIO
PAGE 116: FLYER DISPLAY UNIT MADE
WITH THE TnBA'S TECHNICAL TEAM

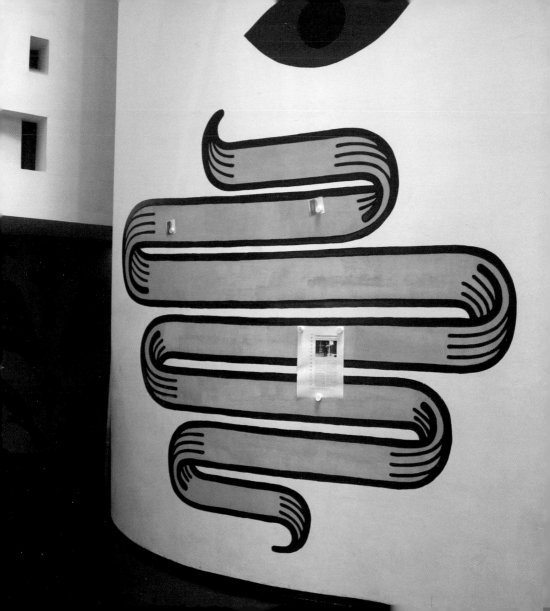

SAINTE-
MACHINE

73, rue Sainte-Catherine ......
33000 Bordeaux ......
08 71 76 32 81 ......
www.sainte-machine.com

SAINTE-MACHINE
CE COLLECTIF URBAIN S'EST FIXÉ
UN SEUL ET UNIQUE OBJECTIF,
QUE CE SOIT PAR L'ORGANISATION
D'EXPOSITIONS OU PAR DE PONCTUELLES
INTERVENTIONS DANS L'ESPACE PUBLIC :
« BOUGER BORDEL ! »
AVEC JOHN BOBAXX ET MOAM
WWW.SAINTE-MACHINE.COM
DEPUIS 2005

SAINTE-MACHINE
WHETHER STAGING EXHIBITIONS
OR PERFORMING OCCASIONAL INTERVENTIONS
IN PUBLIC, THIS URBAN COLLECTIVE HAS
ONLY ONE AIM: "BOUGER BORDEL !"
[TO GET BORDEAUX BUZZING!]
WITH JOHN BOBAXX AND MOAM
WWW.SAINTE-MACHINE.COM
SINCE 2005

MERCI!

Marie-Hélène, Joël, Jean-Christophe, Geneviève & André Garcia, Marie-Thérèse & Ghislain Doche, Jacqueline L'Étang, FX & Johanne Martin, Laurent Boulanger… la famille.

Jean-Baptiste Garreau, Sylvain Garcia, Cédric L'Hoste, Damien Ernoult, Clément Lavedan, Brice Delarue, Cédric Bouvard, Mickaël Eveno, LAplakett !

Chloé & Amalia Cappelli, David Freyssinel, Frédéric Parquier, Yann Monteil, Paul Dessenoix, Stéphane Vidoni, Marion Rébier, Nico & Julie, Djege, Vince, Mike… tous les Vilains.

Sylvain Tastet, Eva Cardon, Christophe Bouvet, Guillaume Castagné, Olivier Michard, Camille Lavaud, Mathias Liniado, Anne-Sophie Leymarie, Pierre Lapeyronie, Coralie Ruiz, Cyril Monteils, Coralie Hay, Julien Vignial, Yann Redondo, Gaël Derycke, Natacha Sansoz, Maia Curutchet, Ana Machado, Patrice Rullier, Mathieu Bernard de San Cristobal, Jessica Hautdidier, Jérémie Bonnouvrier, Christian Fourcade, Charlie & Jack, Bérénice Cappe, Aude Richard, Anaïs Noell, Julie Artaud, Clémence Pujol, Claire Nasom, Arnaud Rives, Dimitri Bellmer, Maria-Teresa, Keuj, Willy, Yves, Ruben… TT.

Marie Bruneau, Bertrand Genier, Étienne Bernard, Rodrigo X Cavazos, Claude Thibaud, Jean-Louis Fromentière, Franck Tallon, Jeanne Quéheillard, Michel Aphesbero, Jean-Philippe Halgand, Didier Lechenne, Thierry Saumier, Thierry Demoulière, Philippe Bouthier, Vincent Bécheau, Annette Nève, Guadalupe Echevarria, Francine Fort, Michel & Philippe Jacques, arc en rêve, l'équipe d'Art & Paysage, le Festin, Dominique Pitoiset, le TnBA, l'éstba, Charlotte Laubard, Philippe Berbion, le CAPC, Étienne Hervy, Émilie Lamy et l'équipe des éditions Pyramyd.

Sans oublier ceux qu'on a oublié.